Eugénie LABIAGA

Terriblement vert !

Pour Nicolas et Nathan

L'orthographe rectifiée, qui fait désormais référence
dans les programmes scolaires, est appliquée dans cet ouvrage.

Loi n° 49-956 du 16 juillet 1949 sur les publications destinées à la jeunesse,
modifiée par la loi n° 2011-525 du 17 mai 2011.
ISBN : 978-2-09-253500-4
N° éditeur : 10242974 - Dépôt légal : août 2011
Achevé d'imprimer en janvier 2018 par Pollina, Luçon, 85400, France - 83739

Hubert Ben Kemoun

Samuel

Terriblement vert !

Illustrations de François Roca

un

Rarissimes

ONCLE JULIUS était de retour ! Ça, c'était un évènement exceptionnel !

Il était toujours parti aux quatre coins du monde. De temps en temps, il nous envoyait une carte postale du fin fond de la Mongolie ou des rivages de la Terre de Feu, au sud de l'Amérique du Sud, et sa dernière visite remontait à plus d'un an. Voilà qu'il débarquait sans prévenir. Il était là, dans notre ville, attendant que sa sœur

– ma mère – vienne le chercher au bar de l'aéroport.

Aussi émue qu'excitée, maman perdit d'abord ses clés de voiture (elle hurlait : « Bon sang, Samuel, cherche-les avec moi ! »). Une fois qu'elle eut mis la main sur son trousseau (les clés étaient à leur place, au fond de son sac), après nous avoir fait dévaler l'escalier quatre à quatre et m'avoir poussé dans la voiture… elle dut remonter chez nous. Elle était descendue avec ses pantoufles vertes, celles ornées d'abominables pompons roses… Pour accueillir Julius, le grand aventurier de la famille, ce n'était pas la meilleure tenue !

– … ensuite, en Argentine, j'ai traversé le désert de Patagonie au volant d'une Jeep complètement déglinguée. Cela m'a pris trois semaines. De retour à Buenos Aires avec ma cargaison de graines, j'ai pris un avion pour la France, et me voilà !

–Tu récoltes des graines ? a demandé ma mère en lui servant un troisième café.

– Pas n'importe quelles graines, des « Galéaparsos » ! Tu ne le sais pas, mais elles sont rarissimes et donnent des arbres de deux mètres de haut. Mes graines intéressent les laboratoires qui en extraient des vaccins contre certaines épidémies... Chacune d'elles vaut une fortune ! C'est pour cela que je suis ici. Après, on m'attend dans quinze jours à Banjarmasin.

– Où ça ? ai-je demandé.

Depuis une heure, j'écoutais Julius et je sentais déjà que deux semaines ne lui suffiraient pas à nous raconter ses innombrables aventures.

– Banjarmasin est une ville de Bornéo, sur la mer de Java. Je dois y mener une expédition dans la jungle !

Tous ces noms inconnus me berçaient. Oncle Julius évoquait des contrées lointaines comme s'il parlait de la rue d'à côté. Lui, son terrain de jeux, c'était la Terre !

– Il faudrait déposer les graines dans un endroit frais, en attendant mes rendez-vous avec les laboratoires.

– Ce n'est pas dangereux au moins ? s'est écriée ma mère.

– Non ! Simplement, il faut éviter de les exposer à la lumière et à la chaleur. Elles pourraient être perdues.

Julius éteignit la lumière du salon puis sortit de sa valise une boite en bois clair.

Il l'ouvrit sous mon nez, dans la pénombre.

– Regarde, Samuel, voilà les Galéaparsos !

Une trentaine de petites graines brun foncé se serraient au fond de la boite de mon oncle. J'avais beau me dire qu'elles étaient précieuses et rares, je ne voyais là que de drôles de noisettes sombres comme on en trouve au rayon fruits et légumes des supermarchés.

– Je te les confie, Sam ! Va les mettre au frigo ! Et pas de bêtises, n'est-ce pas ?

Bien entendu, j'ai promis. Et si tout ce qui s'est passé ensuite est arrivé, ce n'est pas vraiment ma faute.

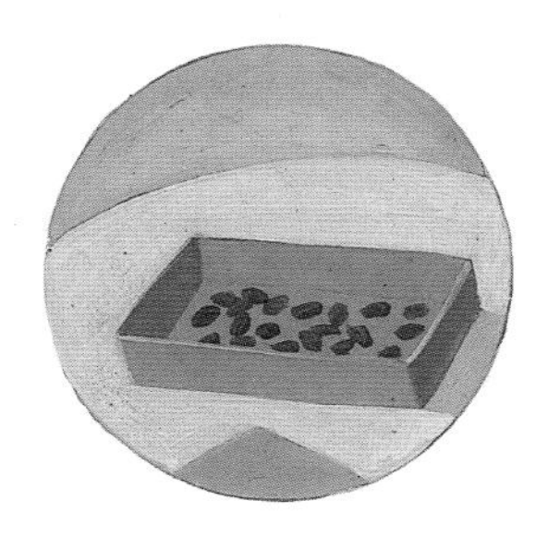

deux

Rouge et vert

LIONEL venait de traverser la jungle sans perdre une seule vie et, chaussé de rollers supersoniques, il entrait dans le labyrinthe des morts-vivants. Affalé à côté de lui sur le tapis du salon, j'attendais qu'il meure pour prendre possession de la manette de jeu et tenter de le rattraper.

– Et où il est en ce moment, ton super tonton ? m'a-t-il demandé tout en évitant deux macchabées armés de tibias paralysants.

– Il avait des rendez-vous pour son boulot. Il a pris la voiture de ma mère et il rentrera peut-être tard. Bon, tu te décides à perdre ! ?

Ce mercredi, Lionel était venu passer l'après-midi avec moi. Pas seulement parce que sa console de jeux était en panne, mais parce que les parties de *Total Chaos* sont bien plus drôles à deux (sauf si Lionel gagne tout le temps).

C'est dans la « crypte infernale » que les crânes explosifs ont eu raison de son talent de joueur. C'était enfin mon tour de saisir la manette.

– De toute façon, j'avais des crampes dans les mollets… a-t-il fait en se levant. Si on grignotait un truc ? Ça creuse, les morts-vivants !

– Je joue d'abord, tu veux. J'attends ça depuis assez longtemps !

– Si tu permets, je vais me servir un bol de céréales ! Ça te dit ?

– Y a aussi des bonbons et des gâteaux dans les placards, et puis plein d'autres trucs ! Ma mère prévoit toujours dix fois trop quand elle me laisse seul le mercredi après-midi ! Cherche ton bonheur dans la cuisine, quand tu reviendras, je serai sorti de la jungle et je t'aurai rattrapé !

– Tu rêves ! l'ai-je entendu crier depuis le couloir.

Non, je ne rêvais pas. Lorsque Lionel est revenu au salon avec un plateau-gouter, je m'attaquais aux morts vivants.

– Vachement fameuses, tes pastilles. C'est du réglisse ?

– Si tu crois que je connais par cœur

tout ce que ma mère fourre dans les placards !

Trop occupé à éviter les assauts d'une armada de pierres tombales, je n'écoutais pas mon ami.

– Non, tes bonbecs, je les ai trouvés dans le frigo. Un peu durs à mâcher, mais succulents.

– Dans le frigo ? ! j'ai hurlé en lâchant brusquement la manette.

– Du calme, je t'en ai laissé !

Tout sourire, Lionel me désignait la boite de Galéaparsos ouverte entre nous.

– T'as mangé ça ? ! ai-je continué à crier d'une voix digne des personnages de *Total Chaos*.

– Juste deux ou trois ! Arrête de brailler, il t'en reste ! C'est vrai, si tu voyais ta tête, Sam ! T'es tout rouge !

Tout rouge ? Il y avait de quoi !

En face de moi, mon meilleur ami, celui de toutes les parties de jeux, de tous les secrets[1], était en train de prendre une étrange, une abominable, une terrifiante couleur verte.

1. Voir *Un monstre dans la peau*, du même auteur.

trois

Ça pousse !

EN UN QUART D'HEURE à peine, le visage, les bras et les mains de Lionel sont passés au vert clair. Son cou était d'un vert plus foncé.

– Bon sang, qu'est-ce qui m'arrive, Sam ?! a-t-il hurlé d'une voix aigüe.

– Je ne sais pas ! T'en as mangé combien ?

– Cinq ou six... c'était pas du réglisse ?

– Pas vraiment...

– Sam, fais quelque chose ! hurlait Lionel.

– Essaye de te calmer et retire ta chemise qu'on pige ce qui se passe, ai-je dit bêtement.

Je ne savais pas quoi faire.

Je m'attendais à découvrir Lionel tout vert ; son état était encore plus terrible que ce que j'avais pu imaginer. Son torse était brun. Pas couleur de feuille, mais écaillé d'une multitude de petites écorces marron. Lionel a retiré son pantalon, ses jambes aussi étaient recouvertes d'une pellicule brune.

– Bouge pas, j'appelle l'hôpital !

Je n'en menais vraiment pas large.

– Mais c'était quoi dans la boite ? !

– Des graines que mon oncle a rapportées d'Amérique du Sud ! T'es en train de germer, Lionel !

– Quoi ? !!!

Il tremblait.

Je n'ai pas osé répéter. Il avait très bien entendu. Il était là, « planté » dans le salon en face de moi. Ses grands yeux sombres me fixaient, terrorisés. Il ressemblait encore au Lionel habituel, mais ce n'était plus lui. Comment lui dire qu'il me faisait peur ?

– T'as mal ? ai-je demandé.

– Non, pas du tout, mais je n'ai jamais eu autant la trouille… et j'ai très soif aussi !

– Tu veux du jus d'orange ?

– De l'eau c'est mieux ! Une grande bouteille d'eau !

Je l'ai abandonné le temps de filer chercher une bouteille d'eau minérale dans l'arrière-cuisine. Quand je suis revenu, il me tournait le dos. Il s'était collé à la fenêtre du salon, dans la lumière du soleil. Lorsqu'il s'est retourné, j'ai vu les feuilles dans sa chevelure ! Il y en avait trois, toutes petites, dentées comme celles des érables. Je ne crois pas qu'il se soit rendu compte de cette nouvelle transformation.

Il a refusé le verre que je lui ai servi et de son bras couleur émeraude a attrapé la bouteille pour la vider en quelques secondes.

– Une autre, s'il te plait !

Lionel a absorbé la réserve d'eau minérale (huit litres !). À présent, les feuilles recouvraient complètement ses cheveux. Derrière sa nuque, une petite branche venait de prendre son envol et grimpait dix centimètres au-dessus de sa tête.

– Tu sais, il faut vraiment que j'appelle l'hôpital ! ai-je fait.

– Entendu, je vais me remettre au soleil, ça me fait du bien !

J'ai foncé dans la chambre de maman pour dénicher le numéro des Urgences dans l'annuaire. Dix fois j'ai refait ce numéro, dix fois un disque m'a averti que, toutes les lignes étant occupées, il me fallait patienter. Je nageais en plein cauchemar.

J'ai fini par décider que nous irions plus vite en nous rendant directement à l'hôpital, par nos propres moyens.

En entrant dans le salon, je n'ai pas pu retenir un cri. Ce n'était pas d'un hôpital dont Lionel avait besoin... plutôt du service des espaces verts de la ville ! Face à la baie vitrée du balcon, il y avait un arbre bardé d'une douzaine de branches qui partaient dans tous les sens. Un arbre qui s'est retourné vers moi et qui pleurait lorsqu'il m'a demandé :

– Tu les as eus ?

– Euh, ils n'ont pas voulu me croire… on va y aller ! ai-je menti.

C'est là que j'ai vu ses racines. Elles sortaient de ses chaussettes et sillonnaient à même le plancher. Elles avaient creusé deux gros trous dans le précieux tapis chinois de ma mère. Mais ce n'était vraiment pas ça, notre plus gros problème…

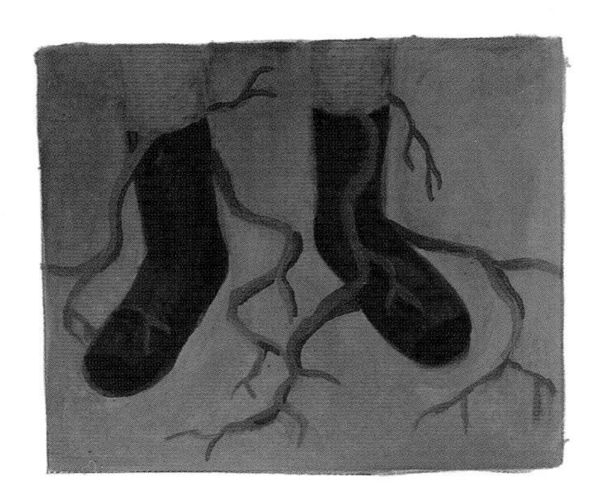

quatre

Convoi exceptionnel

TRANSPORTER un pot de fleurs sur un porte-bagage, c'est assez périlleux... Pédaler en trainant le poids de quelqu'un à l'arrière, c'est vite épuisant... Alors trimbaler sur son vélo un Lionel en pleine métamorphose végétale, quelle prouesse !

Je l'avais sanglé comme j'avais pu avec un tas de tendeurs. Ses racines ne cessaient de s'allonger et il me fallait les replier délicatement pour qu'elles ne se prennent pas dans les rayons ou dans la chaine.

– Arrête, Sam, tu me chatouilles ! Pas comme ça, tu vas abimer mes radicules ! criait Lionel.

Heureusement, malgré sa transformation, son corps avait gardé assez de souplesse.

– Tu sais quoi, Sam ? a-t-il dit en accrochant ses bras et ses mains (enfin, ses branches) autour de ma taille.

– T'as la trouille, oui, je comprends !

– Bien sûr que j'ai peur, en tant que garçon… Par contre, en tant qu'arbre, je ne me suis jamais senti aussi grand et fort.

J'avoue avoir mis un moment avant de réagir. En nous élançant dans la rue, j'ai juste dit :

– Tant mieux si t'as le moral et si tu te sens fort, n'empêche que

c'est quand même moi qui pédale !

Et nous avons roulé vers l'hôpital, malgré son feuillage qui venait se fourrer dans mon cou et me cacher la visibilité. Mon vélo ressemblait à un char de carnaval. Sur notre passage, les promeneurs se demandaient s'ils n'avaient pas la berlue. J'avançais tant bien que mal.

Pour arriver là-bas, il fallait traverser la Saponne. À l'approche de ses rives, ça descendait sec, mais après le pont, la côte remontait raide.

– Super, ce petit vent frais, je le sens dans toutes les nervures de mes feuilles ! a crié Lionel alors que nous prenions de la vitesse dans la descente.

– Profites-en ! Après la Saponne, ça va être une autre paire de manches. Accroche-toi, je prends de l'élan !

– Non, Sam, il faut que j'aille plonger

mes racines dans le courant ! Je manque encore d'eau ! Arrêtons-nous un peu !

De toute façon, je n'avais plus de force.

J'ai détaché Lionel et l'ai guidé vers la berge. Son état empirait. Son tronc était plus sombre et plus épais, son feuillage plus fourni, et seul le haut de son visage émergeait d'entre ses deux branches principales. Étonnamment, il semblait serein. Il a laissé courir ses racines dans l'eau et a poussé un profond soupir de soulagement :

– Génial, j'avais une de ces soifs !

– Ne bois pas toute la Saponne, tu vas être super lourd après…

– Tu sais, j'espère qu'ils pourront faire quelque chose, aux Urgences. Mais j'avoue que c'est drôlement agréable d'être un arbre. Tu vois, là, je sens qu'il va pleuvoir !

– Ça m'étonnerait, il n'y a pas un seul nuage dans le ciel ! Ce qui va nous pleuvoir dessus, c'est un sacré savon !

– Pour le tapis de ta mère ou pour les graines quand ton oncle va les trouver dans ton salon ?

– Bon sang, on a oublié de les remettre au frigo !

J'ai pensé à ma mère. J'allais la trouver morte d'une crise cardiaque au milieu d'un salon transformé en forêt amazonienne.

– Lionel, il faut absolument que j'aille les ranger, s'il n'est pas déjà trop tard ! Je fonce et je reviens !

– Pas de problème, je suis très bien ici ! Ça donne presque envie de prendre racine...

J'ai enfourché mon vélo et j'ai vu un rouge-gorge se poser sur sa branche droite. J'ai foncé tant que j'ai pu en remontant jusqu'à chez moi.

J'ai battu mon record personnel.

cinq

Toujours là !

– C'EST PAS POSSIBLE ! C'est pas croyable !

Les yeux plongés sur sa boite de Galéaparsos ouverte, oncle Julius était là, agenouillé sur le tapis du salon. Du salon, pas de la jungle ! Aucune trace de végétation à l'horizon, juste mon oncle qui n'arrêtait pas de répéter :

– C'est incroyable ! C'est complètement incroyable !

– Tonton, je suis désolé. Je vais t'expliquer…

Il s'est retourné brusquement. Il avait des larmes plein les yeux.

– C'est une erreur… j'étais avec mon copain Lionel et…

– Est-ce que tu te rends compte ? a-t-il coupé sèchement.

– Je sais, c'est une catastrophe. En plus, j'ai laissé Lionel planté là-bas au bord de la Saponne.

– Une catastrophe ?! Regarde, les Galéaparsos ont commencé à germer toutes seules !

Dans la boite, chaque graine s'était fendue pour laisser émerger une petite pousse verte qui dessinait une sorte de virgule de deux centimètres. J'ai vu aussi le verre de jus d'orange de Lionel renversé sur les graines.

– Je sais, c'est très grave… ai-je dit.

– Grave ? Tu plaisantes, c'est fantastique ! Elles ont germé toutes seules ! Un résultat si rapide est prodigieux !

– Le jus d'orange… peut-être ? ai-je murmuré sans conviction.

Je n'y comprenais plus rien. Je croyais Julius effondré, voilà qu'il sautait de joie.

– Les Galéaparsos sont en voie de disparition. On ne trouve plus qu'une dizaine d'arbres de cette variété sur la Terre. Tu imagines, ces petites pousses sont notre fortune, Samuel !

– Ben tu vois, tonton, un Galéaparso, je peux t'en montrer un de très belle taille ! Pour ça, on n'a pas besoin d'attendre des années ou de traverser l'Atlantique… c'est à cinq minutes, sur l'autre rive de la Saponne.

Dans la voiture, je lui ai raconté la suite.

L'arbre était là où je l'avais laissé… mais pas Lionel !

Le rouge-gorge avait été rejoint par d'autres copains dans le Galéaparso, qui semblait avoir stoppé sa croissance.

– Génial ! n'arrêtait pas de hurler mon oncle.

– Lionel ! Lionel ! j'ai appelé en vain.

Lionel en arbre, c'était fou… mais l'arbre sans mon ami, cela me terrorisait complètement. J'ai appelé encore en pensant que ce tronc, ces deux branches maitresses et cette multitude d'autres avaient dévoré mon camarade.

– Il est mort ! me suis-je mis à sangloter.

– Pas du tout, il est en parfaite santé, je n'en ai jamais vu d'aussi beau ! a fait Julius en caressant l'écorce.

– Je parle de Lionel !

De rage, j'ai attrapé des pierres que j'ai balancées violemment contre le tronc. J'en voulais tant à ce maudit Galéaparso.

– Arrête, malheureux ! a crié Julius.

– Aïe, ça fait mal ! (C'est l'arbre qui a gémi.) Sam, plutôt que de me balancer des cailloux, trouve un moyen de me sortir de là !

– Lionel ! ?

Julius et moi sommes restés bouche bée.

– Je ne sais pas comment cela a pu se produire, mais l'arbre s'est détaché de moi. Il est creux à l'intérieur et maintenant je suis enfermé dedans. Je commence à étouffer !

– Il faut l'ouvrir ! ai-je crié à Julius.

– Tu es fou… c'est l'arbre le plus rare du monde !

– Un ami est plus rare qu'une forêt entière de Galéaparsos !

J'ai foncé vers la voiture. Dans le coffre, j'ai attrapé la boite à outils de maman et, avec un gros tournevis, j'ai commencé à creuser une large entaille verticale dans l'écorce du tronc.

– Doucement, ça chatouille ! faisait Lionel.

Ce n'est que lorsque la bouche de Lionel est apparue dans l'ouverture que Julius s'est enfin décidé à m'aider. Après une demi-heure d'efforts, le passage a été assez large pour que Lionel se faufile, tout nu, hors de son enveloppe végétale. Il avait laissé son slip et ses chaussettes au Galéaparso.

Enfin je le retrouvais. J'avais l'impression qu'il revenait d'un lointain, très lointain voyage. Il s'est retourné vers le tronc et a lentement caressé

l'écorce, à l'endroit où nous l'avions déchirée.

– T'inquiète pas, ça cicatrisera ! T'es un costaud ! Et puis, Sam et moi, on prendra soin de toi !

– Tu peux nous faire confiance ! me suis-je entendu répondre à l'arbre.

– Tiens, tu vois, il commence à pleuvoir ! m'a dit Lionel en se tournant vers Julius et moi, comme s'il venait de découvrir notre présence.

Effectivement, l'orage a éclaté aussitôt.

Après avoir vendu ses graines, mon oncle avait l'air satisfait. En repartant, il a promis de s'arrêter en Syrie pour rapporter à ma mère un nouveau tapis encore plus beau.

Ici, le Galéaparso pousse tranquillement sur les bords de la Saponne.

Lionel et moi allons très souvent jouer sous son ample feuillage. Grâce à lui, notre ville est devenue célèbre. Des savants du monde entier viennent pour l'étudier sous tous les angles et des touristes pour se faire photographier contre son tronc.

L'entaille s'est maintenant refermée, mais Lionel sait encore m'indiquer l'endroit exact où elle se trouvait. Parfois il se tait, fixe le Galéaparso, alors je les laisse ensemble. Ils sont complices et « parlent » de choses que j'ignore. De son aventure, Lionel a gardé une étrange tache verte sur la paume de sa main droite. Aucun brossage, aucun savonnage ne réussit à faire disparaitre cette marque en forme de feuille de Galéaparso.

– J'y tiens beaucoup ! dit-il souvent en me la montrant.

Je le comprends.

Et lorsqu'il me déclare : « Si on rentrait, le temps va se couvrir ! », je le crois, sans même regarder le ciel.

Table des matières

Hubert Ben Kemoun

Les racines d'Hubert Ben Kemoun courent depuis l'Afrique du Nord, ont traversé la mer Méditerranée pour s'installer à Nantes, sur les rives de la Loire. Pour croitre, HBK a besoin du sol des villes et fait ainsi fleurir des histoires terriblement colorées. Quand il n'écrit pas de livres, quand il ne rédige pas de pièces de théâtre ou d'histoires pour la radio et la télé, il fait des siestes bien méritées sous les feuillages des arbres de son jardin.

François Roca

aimerait bien planter une graine de Galéaparso dans son salon pour voir si une jungle apparait. Malheureusement, en attendant, il devra se contenter de son vieux ficus qui a un peu de mal à pousser, car François n'a pas vraiment la main verte.

DÉCOUVRE UN AUTRE TITRE DE LA COLLECTION

premiers romans

Partie d'enfer !

Une série écrite par Hubert Ben Kemoun
Illustrée par Thomas Ehretsmann

« Frimer devant une fille, ce n'était pas dans mes habitudes, mais cet après-midi, c'était plus fort que moi. Plaire à Camélia devenait aussi important que récupérer le frisbee. Qu'elle était gracieuse, quand elle bondissait sur le disque pour le rattraper ! Parfois, elle s'élançait vers les arbres, parfois courait en arrière jusqu'au milieu de l'échiquier, hypnotisée par ce disque qui volait dans sa direction. C'est d'ailleurs en reculant ainsi, sans regarder, qu'elle a renversé une pièce du jeu d'échec. Il faut dire que le lancer de son cousin avait été plus violent que les autres. »

Le lancer de frisbee de Camélia va avoir des conséquences étranges et dangereuses… Certains jeux peuvent se révéler mortels !